petit roman

# Joseph Jacobs
## Traduit et adapté par **Hélène Montardre**

## Illustrations d'Antoine Guilloppé

# JACK ET LE hARICOT MAGIQUE

**RAGEOT**

Texte original de Joseph Jacobs, 1890.
Traduction et adaptation d'Hélène Montardre.

ISBN : 978-2-7002-3735-1
ISSN : 1965-8370

# Un réveil en fanfare

**Il était une fois** une pauvre veuve qui n'avait que son fils, Jack, et une vache, Blanche, qui était noire. Pour vivre, Jack et sa mère ne disposaient que du lait de leur vache qu'ils vendaient au marché.

Mais ce matin-là…

– Jack ! Jack !

Jack ouvre un œil, puis l'autre.

– Jack !

Il reconnaît la voix de sa mère. Pourquoi l'appelle-t-elle de si bonne heure ? Il fait à peine jour !

À moitié endormi, Jack s'assied sur son lit et enfile ses vêtements. Puis il rejoint sa mère. Il la trouve debout devant leur

vache qui tourne la tête vers lui en lançant un « Meuuuuh ! » plaintif.

Jack bâille.

– Blanche n'a plus de lait, annonce sa mère.

Voilà qui réveille tout à fait le garçon. Plus de lait, c'est la catastrophe ! Car cela signifie plus rien à manger.

– Ne vous inquiétez pas, mère, lance-t-il. Je vais trouver du travail !

– Ne dis pas de bêtises, Jack, répond sa mère. Tu sais très bien qu'il n'y a de travail nulle part. Non. Nous n'avons plus qu'une chose à faire…

– Vendre Blanche, complète Jack.

Aussitôt, il passe une corde autour du cou de la vache et annonce :

– C'est jour de marché, j'y vais !

# Une drôle de rencontre

**S**ur la route du marché, Jack rencontre un drôle de petit bonhomme. Il porte un ample pantalon bouffant à rayures, une veste à carreaux, et un énorme chapeau est vissé sur sa tête. Dès qu'il aperçoit Jack, le petit homme le salue :

– Bonjour, Jack.

– Bonjour, répond Jack poliment en se demandant comment cet inconnu connaît son nom.

– Eh bien, Jack, où vas-tu d'un si bon pas ? questionne le drôle de bonhomme.

– Au marché, pour vendre notre vache.

– Jack, je suis sûr que tu es un excellent vendeur de vaches, déclare l'homme avec un sourire. Je me demande si tu te débrouillerais aussi bien avec des haricots. À ton avis, combien en faut-il pour en faire cinq ?

– Deux dans chaque main et un dans votre bouche, répond Jack du tac au tac.

– Très juste ! s'exclame l'homme. Et voici les haricots ! poursuit-il en tirant de sa poche cinq haricots.

Jack les observe avec curiosité. Des haricots comme ceux-là, aussi gros et colorés, il n'en a jamais vu !

– Comme tu es malin, Jack, je vais te proposer un échange. Ta vache contre ces haricots.

Jack éclate de rire.

– Vous plaisantez ! Ma vache vaut beaucoup plus qu'une poignée de haricots !

– Pas si sûr, Jack, pas si sûr… Ces haricots sont extraordinaires ! Si tu les plantes à la tombée de la nuit, au matin, ils auront poussé jusqu'au ciel.

– Vraiment ? fait Jack, très intéressé.

– Vraiment, assure le bonhomme. Accepte, tu ne le regretteras pas. Et si jamais mes haricots ne poussent pas, je te rendrai ta vache.

Jack n'hésite plus.

– D'accord ! lance-t-il.

Il tend la corde de Blanche à l'inconnu, fourre les haricots dans sa poche et rentre chez lui.

# La punition

**L**a mère de Jack est heureusement surprise de voir son fils revenir si tôt.

– Tu as déjà vendu Blanche ! Tu as dû en tirer un bon prix…

– Vous ne devinerez jamais, mère, assure Jack.

– Attends, laisse-moi essayer. Cinq pièces d'or ? Dix ? Quinze ? Vingt ? Non, ça ne peut pas être vingt…

– Je vous ai dit que vous ne devineriez jamais ! J'ai échangé Blanche contre ces cinq haricots, explique Jack en exhibant les haricots. Ils sont magiques. On les plante à la tombée de la nuit et…

– Quoi ! s'écrie la mère de Jack. Tu as été assez bête, assez idiot, assez stupide pour troquer Blanche contre cinq misérables haricots ?

– Mais… je… je... commence Jack.

Sa mère ne lui laisse pas le temps de poursuivre. Elle lève la main.

– Tiens ! Prends ça ! Et ça ! Et puis ça ! Et tes haricots, voilà ce que j'en fais !

Elle jette tous les haricots par la fenêtre et ordonne :

– À présent, file dans ta chambre. Je ne veux pas te revoir avant demain. Et inutile de réclamer à manger, tu n'auras rien !

La tête basse, Jack obéit et gagne le coin de grenier qui lui sert de chambre.

Il regrette d'avoir mis sa mère en colère… et de devoir se passer de repas. Alors il se couche et s'endort.

# Un garçon comme petit-déjeuner ?

**Q**uand Jack se réveille le lendemain, une atmosphère étrange règne dans le grenier. Le soleil en inonde une partie, mais tout le reste baigne dans une ombre mystérieuse.

Jack se lève et gagne la fenêtre.

Il n'en croit pas ses yeux : l'un des haricots que sa mère a jetés dans le jardin a germé et poussé. Le pied est enraciné dans le sol et la tige monte le long de la maison...

... Haut. Très haut. Si haut qu'elle dépasse le toit et se perd dans les nuages. Ainsi, l'étrange petit bonhomme disait vrai.

La tige du haricot passe juste devant la fenêtre du grenier. Jack n'hésite pas.

Il enjambe le rebord de la fenêtre, s'agrippe à la tige, attrape une branche, une autre et une autre encore, et il grimpe, comme aux barreaux d'une échelle !

Jack grimpe et grimpe et grimpe encore. Il a depuis longtemps dépassé le toit de la maison, traversé la couche de nuages quand, enfin, il atteint le ciel.

Une belle route bien large s'ouvre devant lui. Il marche et marche et marche encore jusqu'à ce qu'il arrive devant une immense maison.

Sur le pas de la porte, se tient une grande femme. Jack la salue poliment :

– Bonjour, madame. Seriez-vous assez gentille pour m'offrir un petit-déjeuner ?

En effet, Jack n'a rien mangé depuis la veille et il meurt de faim.

– Tu veux un petit-déjeuner ? s'exclame la femme. Eh bien, si tu ne pars pas d'ici très vite, c'est toi qui serviras de petit-déjeuner ! Mon mari est un ogre et il n'y a rien qu'il aime tant qu'un garçon rôti sur une bonne tranche de pain. Sauve-toi donc avant qu'il ne rentre !

– Oh ! S'il vous plaît, madame, supplie Jack. Donnez-moi quelque chose à manger. Je n'ai rien avalé depuis hier matin. Que je sois rôti ou que je meure de faim ne fait pas beaucoup de différence…

La femme de l'ogre n'est pas une mauvaise femme. Elle fait entrer Jack dans la cuisine et lui sert un gros morceau de pain, du fromage et un verre de lait.

Jack est en train d'achever son lait quand il entend un bruit terrifiant.

– BOUM ! BOUM ! BOUM ! BOUM !

Toute la maison se met à trembler tandis que la femme de l'ogre s'écrie :

– C'est mon mari ! Qu'allons-nous faire ? Vite, saute là-dedans !

Et elle pousse Jack dans le four juste au moment où l'ogre entre dans la pièce.

# Deux gros sacs d'or

**L'ogre est si grand** que sa tête touche presque le plafond.

Il est si gros qu'il occupe la moitié de la cuisine.

Trois veaux sont suspendus à sa ceinture. Il les décroche et les jette sur la table.

– Femme, ordonne-t-il, prépare-moi ça pour mon petit-déjeuner. Mmmmm ! Qu'est-ce que ça sent ?

Ho, ho ho,
Je sens la chair fraîche !
Je sens l'odeur d'un garçon.
Qu'il soit vivant ou mort,
Je vais le manger !

– Un garçon dans la maison ! s'exclame sa femme. Tu rêves ! Ou alors, c'est l'odeur des restes de ce petit que tu as trouvé si bon au dîner d'hier. Allez, va faire un brin de toilette, pendant ce temps, je te préparerai ton petit-déjeuner.

Dès que l'ogre a tourné le dos, Jack entrouvre la porte du four. Il s'apprête à se sauver, mais la femme l'arrête.

– Attends qu'il soit endormi. Il fait toujours un somme après son repas.

L'ogre revient.

Il dévore son petit-déjeuner.

Puis il sort deux gros sacs d'or d'une armoire, s'assoit et commence à compter les pièces du premier sac :

– 1, 2, 3…

Il compte et compte et compte encore.

– 122, 123, 124…

Sa tête dodeline, ses yeux se ferment, son menton tombe sur sa poitrine.

Bientôt, l'ogre ronfle si fort que la maison en tremble.

Jack se glisse hors du four, se faufile derrière l'ogre, prend l'un des deux sacs d'or, le cale sous son bras et court aussi vite qu'il le peut jusqu'à la tige de haricot.

Il jette le sac le long de la tige et descend et descend et descend encore. Il finit par arriver chez lui où il raconte son aventure à sa mère.

Il termine en désignant le sac d'or :

– Alors, mère, qui avait raison à propos de ces haricots ? Ils sont bel et bien magiques, non ?

**A**voir de l'or change la vie. On peut acheter de quoi manger et tout ce dont on a besoin. Mais aussi plein qu'il soit, un sac d'or finit toujours par s'épuiser.

– Eh bien, annonce Jack un beau matin en comptant les dernières pièces, je n'ai plus qu'à y retourner.

Et le voilà qui repart à l'assaut de la tige de haricot. Il grimpe et grimpe et grimpe encore jusqu'à ce qu'il retrouve la route, qu'il emprunte pour gagner l'immense maison.

Sur le pas de la porte, se tient la femme de l'ogre.

– Bonjour, madame, dit Jack bravement. Seriez-vous assez gentille pour me donner quelque chose à manger ?

– Va-t'en, mon garçon ! répond la femme, ou mon mari te dévorera pour son petit-déjeuner. Mais… N'est-ce pas toi qui es déjà venu ici ? Sais-tu que, ce même jour, un des sacs d'or de mon mari a disparu ?

– Vraiment ? réplique Jack. Oh ! Je pourrais vous raconter ce que je sais… Mais j'ai si faim que j'en suis bien incapable !

La femme brûle de curiosité. Elle fait entrer Jack et lui sert à manger. Il commence à mâcher lentement, très lentement et enfin il entend le géant qui arrive :

– Boum ! Boum ! Boum ! Boum !

– Vite ! Dans le four ! lance la femme.

# La poule aux œufs d'or

**E**n pénétrant dans la cuisine, l'ogre fredonne :

Ho, ho ho !
Je sens la chair fraîche !
Je sens l'odeur d'un garçon.
Qu'il soit vivant ou mort,
Je vais le manger !

Mais sa femme lui sert trois jeunes bœufs qu'elle vient de faire rôtir. L'ogre les engouffre puis il ordonne :

– Femme ! Apporte-moi ma poule aux œufs d'or !

La femme obéit et l'ogre dit :

– Poule, ponds !

Et la poule pond un œuf en or.

Puis l'ogre dodeline de la tête et, très vite, ses ronflements font trembler la maison.

Alors Jack rampe hors du four, avance vers l'ogre sur la pointe des pieds, attrape la poule et détale.

Mais la poule, surprise, se met à caqueter et Jack est à peine sorti de la maison qu'il entend l'ogre tonner :

– Femme ! Qu'as-tu fait de ma poule aux œufs d'or ?

Il entend la femme de l'ogre répondre :

– Que dis-tu, chéri ?

Il n'en entend pas davantage car il se rue vers la tige de haricot et dégringole et dégringole et dégringole encore de branche en branche.

Une fois chez lui, il pose la poule merveilleuse devant sa mère et lance :

– Poule, ponds !

Et la poule pond un œuf en or.

Et chaque fois que Jack le lui ordonne, la poule s'exécute.

# Une harpe magique

**A**voir **une poule** qui pond des œufs en or résout bien des problèmes. On a besoin de quelque chose ? Il suffit de prononcer la formule magique.

Mais Jack n'est toujours pas satisfait. Un matin, il agrippe à nouveau la tige de haricot. Il grimpe et grimpe et grimpe encore.

Une fois en haut, il court droit à l'immense maison. Là, il se dissimule derrière un buisson.

Quand il voit la femme de l'ogre sortir, un seau à la main, il se faufile à l'intérieur et se cache dans un chaudron.

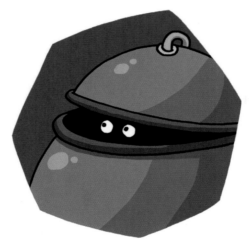

Il n'attend pas longtemps.

– Boum ! Boum ! Boum ! Boum !

L'ogre entre dans la cuisine, suivi par sa femme. Il se met à chantonner :

Ho, ho ho, je sens la chair fraîche.
Je sens la chair fraîche !
Je sens l'odeur d'un garçon.
Qu'il soit vivant ou mort,
Je vais le manger !

– Vraiment, mon chéri ? répond la femme. Si c'est ce gredin qui a volé ton or et ta poule magique, nous savons où le trouver !

L'ogre et la femme bondissent sur le four, ouvrent la porte… Jack n'y est pas.

– C'est bien toi, ça ! s'exclame la femme. Toujours là avec tes « Ho, ho ho ! ». Ce que tu renifles, c'est l'odeur de ce garçon que tu as attrapé la nuit dernière.

Je viens de le faire rôtir pour ton petit-déjeuner. Après toutes ces années, tu n'es toujours pas capable de faire la différence entre un rôti vivant et un rôti mort !

L'ogre s'assoit, engloutit son petit-déjeuner en marmonnant :

– J'aurais pourtant juré…

Il s'interrompt, se lève, fouille le garde-manger, le placard et se rassoit. Heureusement, il n'a pas pensé à inspecter le chaudron.

Il achève son repas et appelle :

– Femme ! Apporte-moi ma harpe en or !

La femme obéit et pose la harpe sur la table devant son mari. L'ogre ordonne :

– Harpe, chante !

Et une musique délicieuse s'élève dans les airs.

La harpe chante et chante et chante encore, si bien que l'ogre finit par s'endormir et à ronfler aussi fort que le tonnerre.

Alors Jack soulève tout doucement le couvercle du chaudron, en sort aussi discrètement qu'une petite souris et marche à quatre pattes jusqu'à la table. Il se redresse juste ce qu'il faut pour attraper la harpe en or et il fonce vers la porte.

# Course-poursuite

**A**u moment où Jack bondit à l'extérieur, la harpe crie :

– Maître ! Maître !

L'ogre se réveille juste à temps pour voir Jack sortir du jardin. Il se lance à sa poursuite. Jack court très vite et l'ogre court derrière lui.

Heureusement, Jack a une longueur d'avance et il sait où il va ! L'ogre est à moins de vingt mètres derrière lui quand il voit le garçon disparaître ! Il se précipite, arrive au bout de la route, se penche et aperçoit Jack qui descend à toute allure le long de la tige de haricot.

L'ogre hésite. Il n'a pas confiance dans cette curieuse échelle. Mais la harpe appelle :

– Maître ! Maître !

Alors l'ogre n'hésite plus. Il se jette à la poursuite de Jack, se balance d'une branche à l'autre et les branches tremblent sous son poids.

Quand Jack voit l'ogre arriver sur lui, il accélère.

L'ogre accélère aussi.

Enfin, Jack approche de sa maison. Il crie :

– Mère ! Mère ! Apportez-moi une hache !

La mère de Jack attrape la hache, se précipite et s'arrête net, le visage levé vers le ciel. Les énormes jambes de l'ogre viennent de percer le tapis de nuages !

Jack saute au sol, lui arrache la hache des mains et frappe la tige du haricot.

L'ogre sent la tige vaciller. Il jette un coup d'œil en bas...

Il voit Jack lever sa hache et l'abattre de toutes ses forces. La tige du haricot est coupée en deux et elle commence à tomber, en entraînant l'ogre.

L'ogre essaie de se raccrocher aux branches, mais elles se brisent entre ses gros doigts. Il tombe et tombe et tombe encore et il finit par s'écraser sur le sol ! Quant au plant de haricot, il s'écroule à sa suite et recouvre son corps.

Jack jette sa hache et brandit la harpe.

– Écoutez, mère ! Et toi, harpe, chante !

Jack et sa mère devinrent riches en vendant les œufs de la poule aux œufs d'or et en donnant des concerts avec la harpe magique.

Plus tard, beaucoup plus tard, Jack épousa une princesse et ils vécurent heureux très longtemps.

Retrouvez la collection

SUR **WWW.RAGEOT.FR**

Achevé d'imprimer en France en août 2010
par l'imprimerie Clerc.
Dépôt légal : septembre 2010
N° d'édition : 5235 – 01